작은 자의 소리

인생

[人生]

인생 [人生]

펴 낸 날 2018년 06월 11일

지 은 이 김재원
펴 낸 이 최지숙
편집주간 이기성
편집팀장 이윤숙
기획편집 정은지, 이민선, 최유윤
표지디자인 정은지
책임마케팅 임용섭
펴 낸 곳 도서출판 생각나눔
출판등록 제 2008-000008호
주 소 서울 마포구 동교로 18길 41, 한경빌딩 2층
전 화 02-325-5100
팩 스 02-325-5101
홈페이지 www.생각나눔.kr
이 메 일 bookmain@think-book.com

• 책값은 표지 뒷면에 표기되어 있습니다.
ISBN 978-89-6489-860-4 03810

• 이 도서의 국립중앙도서관 출판 시 도서목록(CIP)은 서지정보유통지원시스템 홈페이지(http://seoji.nl.go.kr)와 국가자료공동목록시스템(http://ww w.nl.go.kr/kolisnet)에서 이용하실 수 있습니다.(CIP제어번호: CIP 2018016393).

인 생 은 사 랑 이 어 라

작은 자의 소리

인생

[人生]

김재원 시집

생각나눔

첫 시집을 • 출간하며

시인도 아니면서 시를 쓴다고 세상에 내놓기가 부끄럽고 많이 망설였다. 세상엔 많은 소리가 있고 그 중엔 작은 자의 소리도 있고 더 나아가 침묵의 절규도 있다. 나 같은 작은 자의 소리도 때론 들어 줄 사람이 있을 것 같아 용기를 내었다. 평소의 생각들을 정리하는 의미도 있고 나 개인의 인생에 대한의 신념과 인생관을 피력해 보는 뜻도 있었다. 그동안 써 온 많은 시중에서 나의 '인생'에 대한 것들만 뽑아서 이번에 첫 시집『인생 (人生)』에 수록하게 되었다. 혹 살면서 힘들 때 나의 시를 읽으면 위로와 격려, 그리고 용기와 새 힘을 얻게 되지 않을까 하는 바람이 있다. 인생은 누구나 살 가치가 있고 의미가 있다는 것을 읽는 가운데 공감할 수가 있다면 이 또한 큰 보람이 아닐 수가 없다.

시간 날 때마다 써온 쪽 시들이 모여 작은 목소리가 되어 이제 세상에 나간다. 그동안 나의 삶 속에 함께해온 소중한 가족, 형제, 친지들, 그리고 사랑하고 존경하는 친구들, 성원해 주고 나를 위하여 기도하여 준 많은 분께 어떻게 감사를 표현해야 좋을지 모른다. 한 분 한 분 나의 인생의 여정 속에 만난 귀한 분들이다. 그분들이 곁에 있었기에 행복한 인생이었다고 자신 있게 말하고 싶다. 정말 고맙고, 감사하고, 감사하다는 마음 전하고 싶다. 여러분이 제 곁에 있어 행복합니다. 모든 분께 하나님의 크신 축복이 함께하시길 축원 드립니다.

시쓴이 **김재원**

목차

사랑은 한 인생을

대변하고

한 사람의

인격과 성품의

결정체요

성화의 완성본이요

인간의

가장 아름다운

작품 중 작품이다

인생은 사랑이어라

나의 인생

인생은
바람 따라
구름 따라
그냥
지나 가는 건가?

짧으면 짧고
길다면 긴
세월
무얼 위해 살았을까?

뜻있고
보람된 인생을
과연 이루었을까?

그래
아무것도 이루지도
가진 것도 없더라도
오늘의 나 자신을
사랑할 거야

세상이
알아주지 않아도
사람들이
거들떠보지 않더라도
유치하게 살지 않고
비굴하게 살지 않고
천박하게 살지 않은 것
만으로도
훌륭하게 잘산 거야

오늘
난
주름진 이마
눈가에 어린
잔잔한 미소
아직도 열정이
가득한 내 얼굴을 보며
괜찮아 잘 살았고
앞으로도 그럴 거야

혼자 커피를 마시며
자신을 위로해 본다

난 행복하다

햇빛이
피부를 반갑게
비벼주고
바람이
이마의 땀을
식히며 지나가고
꽃들이
환하게
미소 짓고
넓은 바다가
친구 되어 주어
나는
행복하다

혼자 있어도
외롭지 않은 건
항상
떠오르고
생각나고
이름 부르고
대화할 수 있는
당신이 있어
난
행복하다

많은 것을
소유하고
이루고
누리는 것들이
내 소원이 아니고
난
세상의 모든 것보다
진실된 마음을 가진
당신만 있으면
난
행복하다

큰 것도
높은 것도
화려한 것도
바라지 않고
소박하고
순수하고
가식 없는
당신의 사랑만으로
난
행복하다

너 자신을 알라

소크라테스가
"너 자신을 알라"는
의미심장한 말을 하였다
오랜 세월 동안
세상의 지도자들을
비롯하여
어린 학생에게까지
이 말을 새기고
되새겨 본다

나는 누구인가?
어디로부터 와서
어디로 가는가?
무엇을 위해 태어났나?
내가 가진 재능은 무얼까?
한 인생 속에 주어진 사명이 있다면
그것이 무엇일까?
분수를 알고 지키고 있는가?

나 자신을 알기 위하여
수많은 질문을 해 보고
해답을 얻으려고
고민도 해 본다

기를 쓰고 해도
안 되는 사람
아무 애를 쓰지 않아도
잘만 되는 사람
아이러니한 세상에서
과연 나는 누구이고
무엇을 해야 하나?

내 대답은
하고 싶은 것 하고
혼자만의 시간 속에
기쁨이 있고
신이 나고
밥도 잠도 잊고
몰두할 수 있는 일 있으면
그 일 위해 태어났고
그게
내가 할 일이야

싫증 나지 않는 일
시(詩) 쓰는 일
힘이 생기는 일
기도(祈禱)하는 일
보람을 갖는 일
위로(慰勞)하는 일
의미를 갖는 일
세우는 일
그것이 나의 일이라고

너는 누구냐고 묻거든
그렇게 대답할 거야

당당한 삶

너무 겸손한 것도
교만이라고 한 말이
기억난다
돌다리 두들겨 보고
건너간다는 말도 있다
지나친 소심도
겁쟁이거나
염려를 사서 하는
사람을 두고 하는
말일 거다

이것저것 마음에
걸리는 온갖 것을
다 생각하다 보면
결국에는
아무 일도 못 하고
이치와 사리만을
따지다가
세월을 다 보내고 만다

좀 부족하면 어때
완벽하지 않으면 어때
단순하면 어때
고상하지 않으면 어때
지적이지 아니면 어때
만사를 조바심하며 살지 말자
가식과 거짓이 아닌
진실과 정직만 있으면
담대할 수 있고
떳떳할 수 있는 거 아닌가?
당당하게
의연하게
용감하게
행동하는
삶을 살자

인생의 주인으로
개척자로
선봉장으로
공헌자로
뜻 있는
삶을 이루자
당당하게

도약

새싹이 땅을 뚫고
세상 밖으로 나와
고사리손으로
도전해 보겠다 한다

갓 태어난
독수리 새끼
둥지에서
겨우 눈을 뜨고
높은 하늘을 향해
꿈을 꾸어 본다

엄마 젖 물고
언제 클 거니 했던
아기는
어느새
쩍 벌어진 어깨로
늠름하게
세상을 누비고 있다

인생은
성장하고
변화하고
도약하고
도전하는
투쟁의 연속이다

인생의 성공이
아무리 이루고
소유하고
누리더라도
선함이 없고
숭고함이 없고
고귀함이 없으면
헛된 인생이 된다

높은 뜻을 가지고
도약하자
고상한 정신을 가지고
도전하자
고귀한 목적을 위하여
분투하자

지금은
이루지 못하더라고
언젠가는
누군가에 의해서
계승되고
이루어질 일을 위하여
도약하고
도전하자

헛살지 않기 위하여

도전

어린아이가

말을 배우고

걷고, 놀고, 생각하고, 선택하는 일에

도전한다

성장하면서

사회, 과학, 문화, 예술

모든 분야에서

자신이 좋아하고

하고 싶은 것에

도전한다.

도전은
인간의 성품과
삶의 질을
발전, 향상시킨다

인간은 평생을
도전하며
살아가는
본능의 존재이다

젊은이들은
미래를 위하여
도전하지만
나이 들어서는
뒤에 남길 것을 위해
도전한다.

아름답고, 후회 없고
최선을 다한
열심히 산
발자취를 남기기 위하여
오늘도
나는 도전한다

동행(同行)

함께 가주는
사람이 있다면
덜 외롭겠다
심심하지 않겠지
밥을 먹어도
영화를 봐도
재미 있겠지
이런 말 저런 말
아무것도 아닌 말에
서로 웃고
놀려주며
킥킥대며
좋아라 하겠지

하루종일

혼자서

시간을 보내야 한다면

얼마나 쓸쓸할까

말할 상대가 없어

혼자서 중얼거리고

좋은 옷을 입은들

봐주는 사람 하나 없고

넥타이를 비뚤어 매어도

고쳐줄 사람 없다면

보기에

얼마나 애처로울까

그렇게는 되지 말아야지
난 내 곁에 아무도 없으면
새 식구 찾아 떠날 거야
가난하고
불쌍하고
소외된 사람들 찾아
그들에게
작은 힘이 되어 줄 거야
소망을 주고
꿈을 심고
용기와 비전을 갖게 할 거야
함께 먹고, 자고, 울고, 웃고
그들과 동행하다
인생을 마치겠지

외롭지 않았으면 좋겠다
쓸쓸하지 않았으면 좋겠다
슬프지 않았으면 좋겠다
주님이 동행해 주실 테지…

돛을 올리면

오랫동안
부두에
매어둔
배 한 척

불현듯
돛을 달고
넓은 바다로
향한다

망망한 바다
바람 따라
별 따라
가노라면

어딘가에
닿겠지
꿈속 미지의
땅으로

신의 섭리 가운데
어딘가에

때(時)

나무에 싹이 나고
잎이 자라고
꽃이 피고
자연의 순리에 따라
열매를 맺는다

해와 달
낮과 밤
바람
공기
물
흙
우주의 법칙 속에
생명이 움직인다

봄
가을
여름
겨울
계절마다
자연의 섭리 따라
장관을 연출한다

인간의
삶도
유아기
소년기
청년기
장년기
노년기
인생의 시간에 따라
열매를 맺는다

세월과 함께 인생의
계절이 바뀌고
열매가 익어간다
난
지금 어떤
열매를 맺고 있을까?
한 번쯤
내 인생의 시계를
드려다 본다

어느 때인지

멋진 생애

인류에게 공헌하고
훌륭한 업적을 남긴
많은 사람들의 생은
위대하고
숭고하다

그들의 노력과 헌신은
장래와
다음 세대의 삶을
위하여
자신의 행복마저
희생한 사람들이 많다

에이브러햄 링컨 대통령은

노예 해방이라는

위대한 일을 했지만

괴한의 총탄에 쓸어 저야 했다.

마틴 루터 킹 목사는

흑인 인권운동의 기수로

흑인의 자유와 평등을 찾아주었지만

그도 괴한의 총탄에 목숨을 잃었다.

미국의 프론티어 정신을

외치던

케네디 대통령도

괴한의 총탄에 인생을 마쳤다

테레사 수녀는
길에서 죽어가는
생명을 데려다가
씻겨주고, 먹여주고, 돌보며
마침내 존엄한 임종을
맞을 수 있게 해주었다

오래 산다는 것이
중요한 것이 아니라
무엇을 하고
어떤 목적을 갖고
어떻게
인생을 사느냐가
중요하지 않을까?

무슨 일을 하고 있는가?
의미와 가치가 있는 일을
지금 하고 있는가?
자신에게 맡겨진
사명을 잘 감당하고 있는가?
자신에게 이쯤에 물어볼 필요는 없을까?

멋진 인생이었다고
마침표를 찍어야 할 텐데…

무슨 징조일까?

어려움이 닥치고
나쁜 일이 생기고
고난이 오고
핍박이 올 때
낙심하거나
우울하지 말자
그건
좋은 징조일 테니까

평안도
안위도
발전도
승리도
그냥 이루어지는 것이
하나 없잖아
모두가
도진과
역전의 결과 인걸

악한 사람에게는
불행의 징조이고
선한 사람에게는
축복의 징조가 되거든
그냥 내버려 두시지 않지
복으로 바꿔 주시고
승리와 영광으로
상주시는 이가
그냥 보고만 계시겠어

그런 일들을 통해
강하게 만드시고
지혜를 갖게 하시고
더욱
성숙하고
늠름하고
의젓하게
성장하게 하기 위하여
훈련시키는 걸로 믿어야 돼

어려움과 힘든 일 만나면
아 또 무슨 축복을
예비하셨길래
이 일을 감당케 하시나
괴로워하는 대신
기쁨으로 끌어안자
정녕 생각지도 않던
축복이 임할 테니까

가뭄 뒤엔 단비가
겨울이 가면 봄이
수고 뒤엔 열매가
고난 뒤엔 기쁨이
도전 뒤엔 승리가
약속하신 것
반드시 이루시는 걸
보았잖아

축복이 멀리서 밀려온다

무지개

동편 하늘에
무지개가
팔을 활짝 펴고
아침 인사를 한다

피곤하고
지친 삶 속에
혹시나
잊었을까
약속을
떠올리게 하는가 봐

힘들더라도
조금만 참으면
꿈들이
이루어진다고
말씀하시려는 것 같아

미래는
무지개처럼
아름다운 색깔로
한 걸음씩
다가오고 있다고

우리의 기도와 꿈은
반드시
이루어진다고

오늘도 더욱 가까이로

미래

다가올 미래에
설렘과
흥분이 앞선다

어떤 미래일까?
분명
하나님 섭리 안에서
좋은 걸로 주실 거라 믿어

아주 자연스럽고
모두에게 평강과
은혜가 되게
하실 거야

지혜와 계시로
안전하고 복된 길로
인도하실 거야

억지로도,
무리하지도 말자
욕심내지도 말자
순리에 맡기고
순종하는 거야

하늘 문을 여시고
기쁨과 평강과 행복을
부어 주실 걸 믿어

전에 보지도, 듣지도
경험하거나,
상상하지도 못했던
놀라운 축복을 주실 거야

우리의 다가오는 미래에는

바보처럼 살 거야

나를 보고
바보라 해도
나를 보고
비웃어도
나를 보고
한심하다 해도

난 바보처럼
살 거야
오늘의 작은 일에
충실하며
책임을 다하고
열심히 살 거야

큰 욕심 갖지 않고
부러워하지도 않고
시샘 따위 하지 않고
난 조용히
바보처럼 살 거야

나의 목표는
세상의 성공도
출세도
명예도 아니니까

머리 쓰지 않고
게으름, 헛된 생각 않고
난 바보처럼 살 거야

내 속에 있는 기쁨만으로
나는 행복하니까

발자취

어느덧
70년을
살았다
뒤돌아보며
남긴 발자취를
바라볼 때
잘한 것은
많지 않더라도
부끄러울 것은
없다

한때
젊었을 때는
야망과 욕심으로
세상에 눈이 멀어
뜬구름 잡으려고
방황했었지만
그것도
하나님은
세상을 알게 하시기 위하여
수업시킨 것으로 여긴다

해볼 것
다 해보고
죄란 죄
다 지어보고
세상 구석구석
알 것 모를 것
다 겪으면서
남들이
나를 말하는
파란만장한 삶을
살았다

그러나
뒤돌아보면
난
괜찮은 인생이었다고
자찬하고 두둔하고
싶다

남을 못살게 했거나
괴롭혔거나
마음 상하게 한 일도 없고
손해 보게 한 일도 없고
착취하고
갈취하고
강탈한 것도없고
나름대로
남을 돕고
배려하고
위로하고
격려하고
동정하고
희망을 주고
일으켜 세우려고
수고하고 애썼다

인생의 귀함도
아름다움도
소중함도
값진 시간임을
알게 되었고
한 사람 한 사람
존귀하고
보배롭고
보석 같고
사랑스러움을
알게 되었다

순간순간이
아깝고
다시 오지 않을
시간들이기에
간직하고 싶고
아끼며
새기고 싶다

많은 사람들이
열정을 갖고
희망을 찾고
비전을
꿈을
목표를
인생의 의미를
찾아
달려가는 모습을 보면
보람이 있고
인생의 행복을
느끼게 된다

이름이 없어도
가난해도
유명하지 않아도
허름하고
힘없는 늙은이로
보일지라도
하루하루
내가 남기는
발자취는
나름대로 의미가 있는
인생이다

오늘도
난
좋은 발자취를
남기려
꾀부리지 않고
성실히
해야 할 일을
찾아간다

후회 없는 발자취를
남기기 위하여

본분(本分)

맡겨진 일에
충실하고
최선을 다하는 것을
본분으로
지키고 행하여 왔다

때로는
주춤하고
서행할 때도
있었지만
꾸준히
궤도를
벗어나지 않았다

과일나무도
많이 열리는
해가 있고
수확이 시원치 않은
해도 있다

과일이 많이 열리지
않는다고
다른 나무 흉내를 낼 수도 없고
감나무가
사과나무가 되지 않는다

본분을 잃지 않고
꾸준히
끈기 있게
열매와 상관없이
내가 하는 일 그 자체에
즐거움을 갖고
하다 보면
언젠가
웃을 날도 오겠지

거울에 비친
내 얼굴에
그래도 본분을 지킨
세월의 주름이
산 증표처럼
새겨져 있다

처량하고
불쌍한 흔적이
아닌
자랑스런
역사의 수고가
새겨져 있어
보기에 좋다

나를 대변하는
오늘의 얼굴에
미소를 짓는다
스스로 멋지다고…

불행이 온다면

예상하지 않았던
불행을 피해
갈 수 있을까?
때론 병으로
사고로
갑작스런 이별로
또는 상처로
우리를
놀라게 하고
두려움과
절망에 빠뜨린다

어떻게 이런 일이
왜 나에게
내가 무슨
큰 죄를 지었다고
하늘이 무너지고
땅이 꺼지고.
앞이 캄캄하다

찾아온 불청객이
밉고
보기 싫고
불쾌한 건 당연하지
그러나 나에게
온 손님인데
어쩌겠는가?

축복을
가장했을 수도
천사가
가장했을 수도
나를 테스트하는 것
일 수도
보다 큰 성장의
도약의 기회가 될지
모르지 않는가?

살다 보면
크고 작은
수많은

아픔을
슬픔
고난
시련
불행들을
안 겪고 살면
그게 어디
인생인가?
유리 상자 안에 있는
인형이 아닐진대

운명을
비껴가지 말자
맞짱 한번 떠보자
덤벼 보라 해
네가 이기나
내가 이기나
한판 붙자고 하자

어차피 인생의
경기는 시작한 거니까
결승점까지
승리를 위해
달려가는 거다
사력을 다하고
온 힘을 쏟고
마지막 한 방울의
피가 남아
있을 때까지
싸우자

불행을 이긴
승리자가 되자
적에게 본때를
보여주자
다시는 불행이
우리 곁에서
얼씬거리지
못하게…

비상(飛翔)

움츠리고
망설이고
주춤하며
감히
한 발짝도
내딛지 못하다
눈을 딱 감고
용기 내어
높은 절벽 위에서
뛰어내린다

눈을 떠
새까맣게 보이는
아래를 내려다보며
양팔로 날갯짓을 해 본다
공중에 떠서
높이 높이 오른다

무섭던 마음이
사라지고
눈에 들어오는
세상 절경에 감탄이
입에서 절로 난다

못할 것만 같았는데
더 높이 더 높이
공중을 자유롭게
비행을 한다
마치 독수리가
공중을 날듯
내 몸은 하늘을
비행하고 있다

불가능이란 없는 걸까?
생각이 모험을 낳고
모험이 기적을 낳는다
큰 생각
큰 결단
큰 모험
큰 감행의
비상이 필요하다

어마어마한 꿈을 꾸고
그것을
기절초풍할 시도와
실행으로 옮기자
이왕에 하는 것
처절한 실패냐
아니면
놀래 자빠질 성공이냐
둘 중의 하나겠지

나는 한다
저지른다
감행한다
무섭게 밀어붙일 거다
끝장을 보고야 말 거다

날갯죽지가
떨어질 때까지…

비전 메이커

날개를 펴고
하늘을 날고 싶다던
꿈을
이루었습니다

달을 보고
한번 가 보고
싶다던 꿈을
이루었습니다

꿈이 있었기에
도전이 있었고
비전을 가진 사람이
있었기에
인류의 발전이
있었습니다

생각이
시작을 낳고
꿈이 길을
인도하고
비전이 소망과
믿음을 갖게 합니다

그런 축복이
아무에게나
찾아오는 것이
아니고
택한 자에게만
주어지는 것입니다

진군의 나팔 소리가
울립니다
선봉장이 되어
진격하고
땅을 차지하고
승전의 축제를
올려 드리세요

인생은 한 번뿐이니까요

비전을 향한 도전자

망망한 대해를
향하여
항해한 사람이
없으면
새로운 육지를
어떻게
발견했을까?

높은 산 정상을
눈보라
비바람
악천후
견디며
오르지 않았으면
어떻게
정복할 수 있었을까?

그들이라고
주저앉고
그만두고
포기하고 싶은 생각
안 했을까?

결단
신념
각오
투지
믿음
배짱이
남달랐을 뿐이지

난
조용하면서도
단호하게
목표를 향하여
적극적이고
긍정적이고
남다른 추진력과
용기를 가지고
달려가는 사람이
대견스럽고
장하고
자랑스럽다

다가오는
서광을
바라보며
힘차게 내딛는
희망찬 발걸음에
진심으로
응원하고
박수를 보내고 싶다

새 출발

갓 태어난
아기처럼
아무것도
모르는
순결한
시작을
하고 싶다

말하고
기고
걷고
뛰는 것을
처음서부터
다시 배우고 싶다

사랑받고
보호받고
칭찬받고
죄를 모르고
성결하고
아름답게
자라고 싶다

모든 것
내려놓고
그렇게
다시 시작
하는 거야

스스로를
사랑하고
아끼고
격려하고
칭찬하고
손뼉 쳐주면서
살 거야

늦지 않았어
1년이면 365일
10년이면 3,650일인걸
아직도
많은 날들이
남았는데
난
행복한 날들로
만들 거야

인생은 70부터라고
내가
정했거든

세상의 이목

많은 사람들이
남의 말을 하는 것을
좋아한다
당사자의 입장은
아랑곳하지 않고
가혹한 비판의
잣대로
혀를 놀려댄다

비판도 비판이려니와
나쁜 일을 당하고
불행하게 되면
입술로는 동정하고
위로하는 듯하지만
한편으로는
남의 말 하는 것을 즐긴다

이런저런 구설수에
오르고
남들의 가십거리가
되는 것이
결코
유쾌한 일은 아니다

거짓이 난무하고
조작과 상상을 초월한
소설들을 쓰고
부풀리거나 왜곡이
만연한 시대에
살고 있다

따가운 이목을 피해
조용히
숨어 살 수는 없을까?
아니야
당당히 맞서고
초연하고
떳떳하게
내 모습
내 인생
지킬 거야

남들이 어떻게 보든…

소박한 꿈

큰 것 바라고
굉장한 일
하는 것이 꿈이
아니라
하는 일에
즐거움과
보람이
있으면 좋겠다

병들어 아프고
고생하는
삶이 아니라
남은 인생
건강하고 활기찬
삶이 되면 좋겠다

바쁘게
숨 헐떡이며
일에 쫓기는
삶이 아니라
해변도 거닐고
공원도 산책하고
지는 석양
함께 바라보며
살면 좋겠다

상상만 하고
그리워하고
보고 싶어 하는
삶이 아니라
항상
곁에서 바라보며
함께 웃으며
안아주고
업어주고
보듬어주고
당신이 있어
인생이 행복하다고
말하며 살고 싶다

인생은 아름다워라!

순항(順港)

누구나
파도 없는 바다를
항해하고 싶어 한다
잔잔하고
고요한
바다 위를
긴 꼬리를 남기고
배가 항해를 한다

따스한 햇살에
바람 한 점 없이
사방의 바다가
잠들어 있는
적막한 바다에
오직
뱃머리에
물 가르는
소리만이
들린다

키 잡은
조타수마저
잠이 와서
머리채를
흔들며
고요의 엄습에
정신을 잃는다

인생의 항로에
순탄만이 있고
순항만이 있다면
얼마나 좋을까?

그러나
망망한 대해에
적막하리만치
평온과 고요는
안정이 아닌
정신의 불안정과
감정의 혼란을
가져온다

어느 누군가가
적이 있어야 강하게 되고
시련과 풍파가 있어야
발전이 있다고
하지 않았는가?

편안한 삶, 험한 삶
둘 중의 하나를
택하라고 하면
난
험한 삶을
택할 거다

거기에
도전이 있고
투쟁이 있고
참음과 끈기 속에
소망을 갖고
하나님께 더
매달리게 될 테니까

안락과
평안을 누가
싫어하겠는가?
그러나
안락과 평안이
땀과 수고 없이
얻어지는 거라면
무슨 맛일까?

목적지 항구는
아직 먼데
다가올
험한 풍파를
나는
오히려
기대하며
깨어 대비하련다

올 테면 와 보라지

승리자

때론
두렵고
떨리고
자신이 없을 때
사람들을 보지 말고
나의 아름다움을
보아야 한다

초라하게 느껴지고
약하고
무가치하게
생각될 때
내가 갖은 무한한
잠재력을
알아야 한다

세상이 아니라고 하고
부정하고
반대하고
배척할 때
애써 방어하려고
노력하지 말자

어느 때가 되면
자연히
알게 되고
이해하고
놀라게 될 테니까

처음부터
대단하면
너무 재미가 없잖아
서서히
조용히
그러다가
뜨게 돼도
늦지 않으니까

낙심과
좌절,
실망과
실패는
승리자가 쓰는 단어가
아니다

오직
끈기와
인내와
투지,
용기,
사명,
소망,
영광만이
승리자가 사용하는
단어일 뿐이다

신의(信義)

새싹이 땅 위로
얼굴을 드러내고
여린 몸을 일으켜
뜨거운 태양과
비바람을 견디며
다시 일어난다

겨우내
추위를 견디고
얼어붙었던
나무들이
죽은 듯이 있다가
다시
기지개를 켜고
잠에서 깨어난다

해가 바뀌고
계절이 변하고
세월이 가도
여전히 변하지 않고
제모습
그대로
의연한 모습을 보인다

변하지 않는 것
배반하지 않는 것
거짓말하지 않는 것
포기하지 않는 것들을
자연 속에서 배운다

여린 새싹을 보며
겨우내 참고 견딘
나무들을 보며
신의와 믿음과 정절에
감동한다

아담과 이브

하나님이
아담과 이브를
창조하실 때
어떤 모습으로 사람을
만드셨을까?
아담하고 이쁘게
만드셔서
이름을
아담과 이브로
하시지 않았을까?

모든 것이 반듯하고
크지도 작지도 않고
삐뚤지도 않고
곧고 바르고
알맞게
곱게, 예쁘게, 생긴 것을
아담하고 이쁘다 하지 않는가?

어느 한 곳
미운 곳이 없고
어느 한구석
나무랄 데가 없고
어느 한 부분
이쁘지 않은 곳이 없는
정말로 아담하고,
이쁜 사람

그렇게
아담과 이브를
빼닮듯
우린 서로의
생김과
마음과
생각과
모습에
서로가 취해
마냥
즐거워하고
행복해한다

아담과 이브처럼
아담하고 이쁘게 살자

아름다운 날

누가 세월이
속절없이 지난다
하였는가
이렇게
알찬 날을
보내는데

누가 인생은
고달프다
하였는가
이렇게
보람의 날을
보내는데

누가 우리의 삶은
허무하다
하였는가
이렇게
사랑의 이야기를
아름답게
쓰고 있는데

누가 사랑은
아픈 기라
하였는가
이렇게
사랑의 열매가
익어가는데

세월 탓하지 말자
인생이 고달프고
허무하다
하지 말자
사랑은
아프고 눈물이
있더라도
아름답다 하자

또 사랑의
아름다운 새날이
시작한다
기쁨으로
감사함으로
아름답게 하루를
보내자

얼마나 남았나?

주어진 호흡
정해진 세월
해야 할 일들
그 속에서
의미와 뜻이
무엇인지를
고민한다.

바람이 불고
비가 오고
폭풍이 몰아치는
날들을 견디며
위험한 강을 건너
조심조심
위태롭게
하루하루를
살아간다

건너야 할 다리도
끝이 있고
손에 든 짐도
내려놓아야 할
때가 오고
다리의 힘도
빠져 더 이상
걷지 못할 때가
오겠지

얼마나 남았나?
가야 할 길이
걸을 수 있는 날이
일 할 수 있는 시간이
호흡할 수 있는 날이
자로 잴 수 있으면
좋으련만

어쩌면
모르고
그냥
사는 게
좋을지 몰라
내 인생의
주인이
따로 있으니까

태어날 때도
그랬잖아

외길

한 우물을 파라
귀에 못이 박이도록
들어온 말이다
무엇을 하든
한 가지 일에
열심을 다하는
사람들에게서
소박한 영웅의
모습을 본다

역사에 이름을
남긴 사람들은
평생을 한 가지 일에
매달린 사람들이다

남이 뭐라 하든
비판을 받아도
박해를 받아도
가난하고
세상이 알아주지 않아도
때론
목숨까지 바치며
자신의 신념을
굽히지 않고
한길로 갔다

편한 길로 갈 것인가?
호의호식하는 길을 택할 것인가?
명예와 부가 있는 곳으로 갈 것인가?
그렇지 않으면
힘들고 험한 길로 갈 것인가
고귀하고 숭고한 길을
갈 것인가?
고민과 갈등을
나라고 안 하였겠나

새해를
맞이하면서
과연
내가 가야 할 길이
내가 좋아하는 길인가?
확신과 기쁨이 있는가?
열정과 비전이
날로 새롭고, 뜨겁게
타오르는가?
후회 없는 길인가?
잘하는 것인가?
다시
한 번쯤
짚고 가기로 했다

어떻게 살든
인생의
보람과 의미를
나름대로
정의하기
나름이겠지만
그러나
나는
묵묵히
혼자 걸어온
외길을
사랑하련다

부도 명예도
후세에 남길 업적도
남들의 주목도
존경도
못 받는다 하더라도
내가 걸어온
외길에
나는
너무 익숙해 있다

사람들이 많이 가는 길은
나에게는 낯설고
마음이 편하지 않다
혼자서
해온 일
혼자서
가는 것이
한층
자유스럽고
홀가분해서 좋다

내가 택한
외길
앞으로도
계속
그렇게
걸어가련다
걸어온 대로
갈 거고
해온 대로
할 거다

난
좁고
한적한
외길이 좋다

우유부단한 인생

만사에
지나친 숙고는
일을 재게 하고
망설이고
주저하게 한다

신중을 기한다
한 것이
결단을
머뭇거리게 하고
마음을
약하게 한다

남의 의견을
듣는 것도
좋은 면이 있지만
너무 남의 말에
신경 쓰다 보면
아무것도
못하게 된다

하늘의 뜻에
따른다 하며
손을 놓고
막연히
기다리는 것도
무책임한 소치다

일이란
문제 없이
난관 없이
되는 일은
하나도 없다

안 되면
적극적이고
집요하고
끈기 있게
인내를 가지고
설득하고
될 때까지
열정과
믿음으로
밀고 나가야 한다

이래도 좋고
저래도 좋다는
김빠진 맥주
같은 인생
그건,
우유부단한
인생이다

아무것도
도전해 보지 않고
아무것도
시도해 보지 않은
별 볼 일 없는 인생은
의미 없이 왔다가
의미 없이 가는
무미건조한 인생이다

난, 그렇게는 못 산다

운명

주어진 생명
정해진 시간
내 힘으로
내 뜻대로
할 수 없는
불가항력의
범주 속에
생활을
이어간다

하고 싶고
이루고 싶은
꿈도
비전도
실상은
내 뜻대로
할 수 없다는 것 알면서도
상상의 나래를
펴본다

새가 날아 봤자
고기가 헤엄쳐 봤자
꽃이 펴 봤자
사람이 이 땅에서
일하고, 열매 맺고
이루어 봤자인데
하염없이
땀을 흘리고
수고하고
성취하려고
외치고
몸부림쳐 본다
그래 봤자인데도

어느덧
세월이 훌쩍
칠순을 넘기고
얼굴엔
굵은 주름이
깊게 파이고
다리의 힘은 줄고
호흡은 짧아지고
눈은 흐리고
귀는 잘 들리지 않고
기억이 날 듯 말 듯
오락가락하는
나이가 되었다

그래
운명은
어쩔 수가 없어
내 맘대로 되는 게 아니야
누구는 늙고 싶어 늙나
섭리이고
어쩔 수 없는
하늘의 순리이고
이치인데
누가 막겠어
단지
받아드릴 수밖에
없는 거지

운명을 탓할 게 아니라
끌어안고
씨름해 보자
어차피 주어진 것이고
내 몫인데
꿈이든
비전이든
새 장 안에 갇힌 몸이더라도
허우적거리고
발버둥 쳐 보자
어쩌다
운명마저
손들게 되지 않을까?

운명을 벗어나
미지의
새 땅을 꿈꿔 보자
운명을 지나면
미지의 영원한
신비의 땅에
도달하겠지

운명도
대드는 사람에게는
못 당하니까.

인생길

나선 걸음
한번도 가보지 못한 길
물어물어
길 찾아가는데
이 길은 어디로 가는 길인가?
가도 가도
끝이 보이지 않는 길

아픈 다리 끌며
타는 목
피곤하고 지친 몸
시냇가에 앉아
물에 발 담그고
지나가는 구름 바라보며
어디쯤 왔지?
지금 몇 시나 됐을까?

인생은 나그네
앞에 있는 길
따라가다 보면
어딘가에 도착하겠지
왜 가야 하는지
무엇 때문에 가는지
묻지 말고
그냥 가자

인생은 지나가는 거야
투정하지 말고
날이 저물어 간다

인생 찬가

사노라면
온갖
힘든 일이 많다
슬픔도
아픔도
비극도, 불행도

사노라면
수많은
아픔을 경험한다
한탄도
눈물도
억울함도
놀람도, 충격도

훗날
그 많은 경험과
인생의 사연 속에
내가
가장 많이 한 말
가장 많이 외친 말
가장 많이 표현한 말이
뭐냐고 묻는다면
사랑합니다
행복합니다
라고 말하리

그
많은 고통과 시련 속에
살아온 인생을
한마디로 표현하라면
“인생은 아름답다”
라고 말하리

인생은
살아
호흡하고
존재하는 것만으로도
소중하고
가치 있고
아름다운 것이니까
사랑하는 사람이 있는 한

인생 평가서

재주가 많은 사람은
뭐 하나 제대로
하는 것이 없다고들 한다
난 재주가 많은 것도
아닌데
내놓을 만한 것이
하나도 없다

솔직히
재주도, 재능도 없다
특별히
돈 버는 데는
꼴찌에 가깝다

그러나
돌이켜 보면
살면서
구차하게
비굴하게
가난하게
비겁하게
살지는 않았다

없으면서도
베풀며 살았고
꼬리로 살지 않고
항상 머리가 되어
지도자로 살았다

그렇다고
교만하거나
만용과 허세를
부리지도 않았다
항상
다른 사람을 배려하며
그들에게
용기와 희망을
또한
기회를
주려 애썼다

가진 것 없고
내놓을 만한 것 없지만
실패한 인생은
아닌 것 같다
아직도
공의를 위하여
인간의 삶을 위하여
인류와 세계를 위하여
하고 싶은 일들이
있는 걸 보면

인생은 사랑이어라

사랑은
성화의 열매를
맺게 한다
모난 성격이
다듬어지고
속된 성품이
고상한 인격으로
변하게 한다

사랑은 위대한
비전과 꿈을
낳고
하나님의
뜻과 계획을
받들고
수행케 하며
성취하게 한다

사랑은 빛이
되어 세상을 밝힌다
어두운 마음에,
우울하고
괴로워하는 영혼에,
빛으로,
평안과 기쁨이 된다

사랑은 인생의
아름다운 발자취를
남긴다
아낌과 돌봄과 보살핌
위로, 격려, 용기, 희망의
순간들을
아름다운 이야기로
잊지 못할 추억으로
영원히 남게 한다

사랑은 한 인생을
대변하고
한 사람의
인격과 성품의
결정체요
성화의 완성본이요
인간의
가장 아름다운
작품 중 작품이다

인생은 사랑이어라

인생의 가을

열정이 식어가고
기억력이 떨어지고
몸에 이상이 발견되고
도전할 기력이 없는
나이 70을 넘었다

세상 사람들은
우리를
노인이라 부르고
젊은이들은
쓸모없고
폐기 처분해야 할
꼰대라 부른다

시대에 뒤떨어진
고리짝 생각들로
꽉 차 있고
옛날 어려웠던 시대의
경험담만을 노래한다고
핀잔을 받는다

슬프게도,
지금의 경제
발전을 이룬
주역들이지만
정작 당사자들은
인정받지도 못하고
신세대에 밀려
무시당하고
따돌림을
받고 있다

놀라운 과학 기술 개발
눈부신 문화 예술의 발전
괄목할 만한 경제 성장
초고속 현대화 시대를
누가 그 근간을
만들었는가?

현시대의 스피드와
첨단의 기술은
일 세대
꼰대들은
못 따라갈지 모르지만
피와 땀으로
부강한 대한민국을
만든 부모 세대라는 것을
젊은이들은
잊어서는 안 된다

이기적이고
배타적이며
재산이 있는 부모는
이용의 대상이지
섬김의 대상이
더 이상 아니다

아부와
아첨은
잘 해도
존경과 섬김은
아예
심성과
인격 속에
존재하지 않는다

인생의
가을을 맞아
떠날 때는
말 없이라 했던가
홀로 서서
추하게 늙지 않고
단아하고
깨끗하고
위엄과
품위를 지키며
차분히 떠날
그날을
준비한다

한 꼰대의
불쌍한 죽음이
안 되게…

인생의 아름다움

사람이
사람다워야 하고
사람의 향기가 나아야 하고
사람답게 사는 길은
본래의 자신을 찾고
자신의 길을 가는 것
아닐까?

창조주가
사람을 만드실 때
각자에게 주어진
재능과
역할과
삶의 진로를
계획하시고
축복하셨다

표류하며 살던
인생이
본래의 자신을 발견하면
등대를 향하여
진로를 바로 잡고
목적지를 향하여
바람과 풍랑을 극복하고
마침내 항구에 이른다

“자신을 알라”
유명한 철인은
인생의 진리가
무엇이냐는 질문에
그렇게 답했다

장미는 장미다워야 하고
백합은 백합다워야 한다
인간은
자기마다의 독특한 아름다움
이 있다
아무도 갖지 않은
아무도 닮지 않은
아무하고도 비교할 수 없는
나만의 아름다움을 가졌다

나만의 아름다움이 무얼까?

나는
나다워야 하고
나의 향기가 나야 하고
나답게 살고
나 자신의 모습 그대로
나의 길을 가는 것
아닐까?

인생은
나에게 단 한 번 주어진
기회이니까
나답게 살련다

인생의 커튼콜

어머니의 뱃속에서
세상 밖으로 나올 때
모두가
울음을 터트린다

기쁨의 탄성일까?
고통의 울음일까?

앞으로
넘어야 할 산들
건너야 할 강들을
생각하면
눈물이 앞서서였나?

희망을 품고
꿈을 찾아
너나없이
인생의 전선에서
평생을 싸운다

연애하고
자식 낳고
뒷바라지하고
아차 하는 순간
나이 먹고
정년퇴직하고
노후를 맞는다

인생의 시작이
엊그제 같고
아직도
피 끓는 청춘인 줄
착각하는데
어느새
황혼의 노을을
지켜 보고 있다

아~ 그렇게
빨리 가는 세월을
좀 더 일찍 알았더라면
멋지고
아름다운
추억들을
열심히
만들었을 텐데

아쉽다
한 인생이
이렇게
끝을 맺다니
남은 시간
손가락으로 세어 보며
아니야
이제부터야
늦지 않았어
애써 위로해 본다

인생은
마지막 장(章)이
중요한 거야
모두가
인생의 막을
내려야 할 때가
오니까

내가
인생의 커튼콜을 할 때
박수가 터져 나올까?
비난이 쏟아질까?
섭섭해하고
보고 싶다는 사람이
있을까…?

글쎄다

일심동체

갈라놓은 경계
소통도
통로도
대화도
단절시킨 담
사람들은
벽과 담을
쌓고 산다

사람들과의
관계를 끊고
담을 쌓고 사는 사람
남의 이야기를
전혀 들으려 하지 않는
벽창호
고집과 아집
비뚤어진 성격으로
담과 벽에 갇혀 산다

대화에 벽이 있고
이해와 생각에
느낌과 감성에
꿈과 비전에
취향과 성품에
담과 벽이 있으련만
우리는 그런걸
모른다

어쩌면 그렇게
비슷하고 같을까?
마음과 생각이
성격과 인성이
언어와 육체가
호흡과 리듬이
하나다

일심동체란 말은
우리 두고 한 말일 거야

자신의 발견

나는 누구일까?
어떤 성품의 사람일까?
다른 사람에 대하여 말하라면
잘도 하는데
막상 나 자신에 대하여
어떤 사람이냐고
말하라고 하면
알쏭달쏭하다

무엇을 잘 할까?
뛰어나고, 훌륭한
사람들을 보면
부럽고
샘도 나고
따라 하고 싶고
막상 내가 할 수 있는 일이
무어냐고 물으면
글쎄 뭘 잘하지?
되묻게 된다

제일 좋아하는 것이
무엇이지?
운동, 독서, 산책…
등등을 열거해 보지만
딱히
이거다 할 것이 없다

이렇게 살아도 되는 걸까?
물에 떠내려가는
낙엽처럼
세월 따라
마냥 흘러가야 하나?

아니야
지금 이 모습이 나고
지금 하고 있는 일이
내가 해야 할 일이고
지금 이 일이
내가 제일 잘하는 일이고
좋아하는 일이야

엉뚱한 생각 하지 말고
한 점의 의심도 하지 말고
이 일 하기 위하여
나를 부르셨고
기름 부으셨고
능력 주셨고
세우신 거야

잘하고 있잖아
꿈도 있잖아
비전도 있잖아
앞으로 더 멋진
사람이 될 거야
더 큰 일도 할 거야
더 의미 있고
보람된 삶을 살 거야
걱정 안 해도 돼
하나님이
바라보시고

기뻐하시고
손뼉 치시는 게
안 보여?

참 잘한다고…

자연인(自然人)

아무 거리낌 없고
누구에게도
구애받지 않고
속박당하지 않고
자연인으로 살고 싶다

사람들의 눈총도
사회의 제도나 법에
매여 있지 않고
내 방식
내 스타일 대로
살고 싶다

가리고
숨기고
부끄러워하고
수치스러워하고
눈치를 봐야 하는
세상의 잣대에서
벗어나고 싶다

훌러덩 발가벗고
생긴 그대로
이곳저곳
보여주고
서로 보며
어린아이들 마냥
킥킥 웃어대며
재미있어
시간 가는 줄 모르고
살고 싶다

체면
인격
품격
고상
위신
따윈
자연인에게는
안 어울린다

자연인에게는
정직
솔직
순수
사랑
나눔
만이
가진 재산 전부니까
꾸미거나
과장하지 않아도 되고
생긴 그대로
자연스럽게 살고 싶다

자연인보다 더
자연스러운
초자연인으로

작은 시도

안녕하세요?
좋은 아침
만나는 사람들에게
마음으로부터
인사를 한다

새로운 하루를
시작하면서
오늘도
안전하고
건강하고
보람된
하루가 되기를
진심으로 축복한다

바쁜 삶 속에
항상
미소 짓고
격려하고
위로하고
축복하며
밝게 살고자 한다

오늘 어디서건
만나는
모든 사람들에게
먼저 다가가고
먼저 손 내밀고
좋은 하루가 되세요
힘내세요
승리하세요
적극적으로
인사를 하는
사람이 되련다

폐쇄되고
닫혀 있던
마음의 창을
활짝 열고
망설임
거리낌
주저함 없이
용감하게
다가가
밝고 환한
얼굴로
인사하는
사람이 되련다

작은 변화일지라도
그렇게 하고 싶다

작은 자로 살련다

큰일을 하는 사람들을
보면 부럽다
유명해지고
사람들로부터
각광을 받고
찬사와 존경을 받는다

실력과 능력
머리와 재능을 가졌거나
부모를 잘 만났거나
운이 좋았거나
시대를 잘 만났거나
기회를 잘 포착했거나
아무튼
대단한 사람들이다

팔자를 잘 타고나
조상이 물려준 땅을
팔아 부자가 된 사람
아버지의 대를 이어
회사를 떠맡은 사람
가문, 학연을 이용하거나
사회의 줄을 잘 타 출세한사람
때론
큰 사기를 쳐서 성공한
사람도 있다

유명하건,
성공했건,
부자이건
제 잘난 맛에 취해
떵떵거리며 살아 봤자
사람답지 않으면
별로다

난
가진 것도
이룬 것도
내세울 것도
아무것도
자랑할 것도 없지만
유명한 사람
부자인 사람
출세한 사람이
부럽지가 않다

순수한 인생
그 자체만으로
낮은 자세로
조용히 살더라도
이름 없이
이 세상 끝내더라도
진실되게
산 것만으로
행복했고
좋은 인생이었다고
스스로를 축복하련다

작은 자로
살았을지라도
행복했었다고…

존귀한 인생

인간이
얼마나
신비하고 오묘한
육체를 가진
존재로 창조되었는지
놀라고 또 놀란다

호흡하고
생각하고
지혜와
능력을 주셔서
한 인생을
살게 하셨다

꿈과 비전을
갖게 하시고
창조주의 뜻과
섭리 가운데
영광의 빛을
한 인생 속에
발하라 하신다

나를 그토록
신비하고
존귀한 자로
세우시고
기름 부으시고
이 땅에 보내어
거룩한 일들을
하게 하신다

귀하고 귀한 생명을
아름답고
사랑이 가득하고
행복과 기쁨이
넘치고
세상에 빛이 되어
영광을 돌리는 삶이
되라 하신다

너는 존귀하고
은총을 입은 자이기에

지금이 결단할 때인데

무엇을 해야 할지
어느 길이 좋은지
옳은 삶이 어떤 것인지
잘 모르겠다

순리에 따르자니
막연하고
궁리를 짜내자니
자신이 안 서고
결단을 하자니
불안하다

조용히 남들 눈에
안 보이는 시골에
들어가 살까
아니면
먼 이국땅에서
홀로 묻힐까

눈 딱 감고
하나님 일에
매달려
성령의 바람
인도하심
따라 살까

결단할 때라는 것
아는데
이러지도
저러지도
못하는 걸 보면
용기가 없는 걸까

답답한 마음
속 타는 마음
슬퍼지는 마음
가슴만 치게 된다

지금이 결단할 때인데
주여, 도우소서

친구

공원 길 산책도 같이하고
노을도 함께 바라보고
해변도 같이 걸을
벗이 있으면 좋겠다

보리밥 점심 같이 먹고
시장길 호떡 하나씩 들고
자판기 커피 한잔 나눌
동무가 있으면 좋겠다

남들에게 말 못 할 속사정
털어놓고
울적할 때
기분 전환해 주고
소식 없이 가도
하룻밤 재워줄
친구가 있으면 좋겠다

아니야
그렇게는 못 해주더라도
들에 핀 꽃 사진 찍어
전송해 주고
잘 있지 문자 보내주고
나이는 못 속여
하루가 달라
건강 조심해

가끔 안부 묻는
친구가 있으면 좋겠다

나부터
친구가 되어 주어야지
기다리지 말고…

친구여 고마우이

인생을 살면서
멋지고
훌륭한 사람들
크고, 넓은
마음을 가진
친구를
만난다는 것은
행운이고 축복이다

소나무처럼
싱싱하게 솟고
그윽한 향기를
풍기는
고상함과
탁월함을
가진 친구 말이다

좀팽이도
변덕쟁이도
옹졸한 못난이도
수전노도
욕심쟁이도
얌체도
사기꾼도
많지만
풋풋한 인간미가
넘치는 친구는
많지가 않다

내 주변에
진정으로
나를 염려해 주고
아낌없는 사랑으로
성원과 기도를
해주는 친구 몇이 있다
사랑의 빚을
어떻게 갚아야 좋을지
모른다

오직
하나님께서
나 대신 갚아 주시도록
기도를 할 뿐이다

그런 친구들이
있는걸 보면
나는
행운아요
축복을 많이 받은 자다
그 사람을 보려면
주위 친구를 보라고
했듯이
좋은 친구들 때문에
나의 인생은
괜찮은 인생이었다고
훗날
말할 수 있겠지

친구들이여 고마우이

폭풍

세찬 비바람이
밤새 창문을 흔든다
왜
그리도 화가 나 있는지
좀처럼 수그러들 줄 모르고
세차게 밀어붙인다

나뭇가지가 꺾이고
빗물이 홍수가 되어
도로를 넘친다
새들이 가지 사이에
매달려
살아남으려고
안간힘을 다한다

때로
우리의 인생도
폭풍을 만나게 되고
비바람이 치는
역경을 만나게 되겠지
나뭇가지처럼
상처를 입지 않기를
새들처럼
두려움에 떨지 않기를
그런 날이 오지 않기를
기도해야 되겠지

설사 그런 날이
온다 하더라도
난
흔들리지 않을 거야
맞서 싸울 거야
반드시 이겨내고
승리할 거야
보란 듯이
당당하게

폭풍을 뚫고

사노라면
지나가는
모진 폭풍이
어디 하나둘인가
때론 숱한
회오리 비바람도
만나지

일 일이
다 힘들어하면
이 세상 살맛 나겠어
어차피 지나가는 건데
한번 해볼 테면
해보라지
누구 말마따나
죽기 아니면 살기지
덤벼 보라 그래

오늘도
짓궂은 바람이
마음을 할퀴고 지나간다
그 정도에
반응할 내가 아니지

이보다 더 큰
폭풍우도
나를 당해내지 못했는데
이쯤이야

큰 호흡을 한 번
들이쉬고
가슴을 펴고
우뚝 서서
앞에 있는 일
처리해야지
훗날 웃으려면

간밤에 젖은 땅이
아침 햇살에 말라간다

한 걸음 한 걸음

한 해가
시작이 되었다
365일
아득하고
힘겨운
먼 길 같이 여겨진다

하지만
지난 세월을 보면
일 년이
하루같이
화살처럼
빠르게
지난 걸 알 수 있다

빨리 달려가려고도
엄청난 일을 하려고도
무리하지도
욕심내지도
않으리

주어진 일들
겸손히
진실되게
감사하며
살 거야

살아 호흡하고
미소 짓고
따뜻한 사랑의
대화만으로도
행복하니까

난
한 걸음 한 걸음
올 한 해도
조용히
그렇게 살 거야

사랑하며

한순간 한순간

주마등처럼
지나간 세월
언뜻언뜻
떠 올려 보지만
그 많은 날들
속절없이
다 가 버렸네

남은 세월은
지나온 것보다 짧고
육신은 살아온 세월보다
앞으로 더 약해질 텐데
오늘을 지혜롭게
사는 것이
무엇일까?

내가 보는 세상
모든 것을
찬찬히 보고
기억해야지
어느 것 하나
아름답지 않은 것
없으니까

내가 만나는 모든 사람
귀하고 소중하게
사랑해야지
모든 사람들이
삶 속에 인연이 되어
나를 행복하게 하는
사람들이니까

꽃들과 나무들도
풀 한 포기도
지나가는 바람
햇빛도, 강도, 바다도
둘러 처진 웅장한 산들도
하늘도, 땅도
나의 삶을 위하여
존재해 주는 것에
감사해야지

영화 한 편의
후반부 이야기처럼
인생의 피날레가
아름다운 인생과
감사로 채워지길
그려보면서…
남은 한순간 한순간,
하루하루를
진실되게 살련다
감격하고, 감사하며

한 인생

한 뼘의 길이 만큼
짧은 인생이고
화살처럼
빨리 지나가고
유수처럼
유유히 흘러간다고
했던가

지나고 나면
어느새
이 나이 먹도록
무엇 했던가
후회와 한탄이
저절로
입에서 나오고

내 인생
괜찮은 인생이었는지
가늠할 길 없고
훗날 뭇사람들이
나를 뭐라 기억할까
염려도 앞서지만
오늘보다
더 중요한 날
있을까?

숨을 쉴 수 있고
하늘과 자연 속에
존재했었다는 것만으로
가치 있는 일인데
하면 얼마를 하고
못하면 얼마를 못 할까
좋은 사람들
만났던 일로
인생의 의미를 갖자
고맙고 감사한
인생이었다고

항로변경

목적지를 향하여
비행을 하다 보면
뜻하지 않은
난기류를 만나게 된다

항해를 하던 배가
풍랑을 만나면
정박할
안전한 항구를
찾는다

뚫고 넘어서야
한다는 고집만으로
될 일이 아니란 걸
깨닫게 해주셨다.

순리와 섭리를 따라
안전하고
평강한 길을
택하라 하신다

목적지를 향하여
모든 사람들을 위하여
많은 책임을
완수하기 위하여
안전운행은
불가피한 선택이다

승리의 결단이 되길 믿으며…

호흡할 수 있어

100세 시대에
들어간다고들 한다
시대와 문명이
바뀌어
건강하게
오래 살게 되었다는
말이다

인간의 활동 한계가
무한하겠지만
나이 70이 넘으면
아무도 장담을
못한다

지병이 생겨
병원에 누워 있거나
거동이 어려워
남의 도움을 받아야
한다면
오래 산들
무슨 보람이 있을까?

70에서 80까지
활동에 아무 지장이
없이 산다면
인생의 지혜를
다 활용할 수 있어
큰 축복을
누리게 되겠지

남의 도움 없이
80에서 90살까지
산다면
축복에 축복이요
개인에게
영광이 아닐 수가 없다

90살에서 100세를
채운다면
그건
기적이요
하나님의
은혜와 은총과 축복을
소유한
거룩한
인생이 되겠지

인생을 욕심부려 될 일인가?
인명은 재천이라고
하늘만이 아시는 것인데
주어진 하루하루
신실하게
사는 것 만이
내가 할 일이 아닐까?

정리할 것이 없나?
아름답고
뜻 있고
보람된 일들
기억할 것이 없나?
감사해야 할 분들
용서받아야 할 분들
돌봐야 할 분들
찾아
섬기며 살아야지

오늘도
호흡하게 하신 것
감사하며
아끼며
살아야지

혼자서 가는 길

산나물
된장국에
초가삼간에 살아도
고된 밭일을 한다 해도
사랑하는 사람과
함께 살면
무엇이 부러울까?

내가 아플 때
곁에서 이마에
손 얹어주고
미음 죽이라도
숟가락에 떠 넣어 준다면
얼마나 행복할까?

좌절하고 실패하고
기진맥진
자포자기
삶의 의욕마저
잃어버렸을 때
내가 있잖아요
붙들어 주는 사람이 있으면
얼마나 행복할까?

단신 홀로 되었을 때
제때에 챙겨 먹느냐고
가끔 전화해 주고
찾아와
밥이라도 해주는
사람 있으면
얼마나 행복할까?

언젠가는
외로워지겠지
그때를 대비하여
무엇을 준비해야 하나
쓸쓸히 저녁노을 바라보며
행여나 누군가가 찾아올까
집 앞에서 서성이며
기다리지는 말아야 할 텐데

지금부터
혼자 사는
연습을 하련다
갈 때는
어차피
혼자 갈 건데
조용히
말없이
홀연히
떠나야지

아무에게도
슬프게 말고

후회 없는 삶

많은 사람들이
후회를 남기고
세상을 떠난다
못다 한 일
하지 말았어야 할 일
꼭 이루고 싶던 일
많은 일들을
후회스러워하며
생의 마감을
아쉬워한다

따지고 보면
그렇게
인색하게
바쁘게
쫓기며
자기만을 위해
살지 않아도 되는데
불쌍하게
살다 간다

기분 좋게
한번도
남에게
베풀거나
돕거나
위로하거나
용기 갖도록
격려하지 못하고
허둥대며
살다가
죽는다

내게 주어진
인생의 시간 속에
베풂과
나눔과
도움과
세움과
승리함을
많은 사람들과
좋은 추억들을
만들며
살아갔으면 한다

수전노

까쟁이

약은 사람

쩨쩨한 사람

그런 소리는

듣지 말아야 할 텐데

후회 없는 삶이 되어야지

그래야

인생을

잘 살다간 사람이

될 테니까

희망의 돛

돛을 달고 배가
부두를 떠나
수평선 넘어
목적지를 향하여
떠난다

홀로
망망한 대해를
준비도 채 안 된 상태에서
출항의 명령 받고
희망 찾아
정든 부두를 떠난다

흔들흔들
파도를 타고
오르락내리락
돛대가 부서질 듯
휘청휘청
바람은 매섭게
불어오는데
멀리멀리
가물가물
시야를 떠난다

항해를 끝낼 수 있을까?
파선하면 어쩌려고
폭풍에 견딜까?
경험이 없을 텐데
안쓰러운 마음으로
물가에 내보낸
아이를 보듯
모두가 지켜본다

초롱초롱한 눈으로
환한 웃음으로
씩씩한 모습으로
괜찮아요
걱정하지 말아요
해내고 말 거에요
강하고 담대함으로
손 흔들며
뱃머리 돌리는
모습이 대견하다

그래
이미 파도에 실은 몸
뒤돌아볼 필요 없지
오늘도
험한 파도야
폭풍우야
해볼 테면 해보라지
올 테면 와보라지
누가 이기나 해보자 그래
그렇게 센 줄 몰랐다고
나중에 후회할 거야

큰코다치지 말고
일찌감치 알아보고
길 비키는 것이 좋겠지
내가 해낸 걸 보고
그때는 놀라고
기절하고 말 거야
결코
난 포기하지 않을 테니까

희망의 돛을
더 높이 세운다

행복

잠이 달고
밥이 맛있고
근심과 걱정이 없고
육신에 아픈 데가 없으면
행복이 무엇인지
알 것 같다

영혼이 속되지 않고
마음이 순수하고
머리 굴리지 않고
괜한 욕심 안 가지면
평안이 무엇인지
알 것 같다

햇살에 감사하고
파란 하늘에
맑은 표정을 짓고
꽃을 보며
감격하면
아름다움이 무엇인지
알 것 같다

생각하고
그리워하고
반가워하고
기뻐하고
목소리만 들어도
감동하면
사랑이 무엇인지
알 것 같다

하루의 시간 속에
마음의 공간 속에
내 영혼과 육체 속에
가득한 행복에
난
하늘을 날 것만 같다
행복에 취해

아, 행복이 이런 것이구나

향기

바람 따라
어디선가
꽃향기가
코끝에 닿아
나를
놀라게 한다

향기 따라
어디서 나는지
두리번거리지만
담장 너머에서
오는지
찾지를 못한다

그윽한
꽃향기가
나의
영혼과 마음을
깨우고
향기의 성결함과
신선함에
취하게 한다

꽃마다
나무마다
풀마다
심지어
돌마저
향기가 있다고 한다

사람마다 나는
향기가 다르다지
어머니의 가슴에 나는
모성의 향기
연인에게서 나는
사랑의 향기
각 사람에서 나는
인격과 성품의
향기가 있다고 한다

나는
어떤 향기를 지녔을까?
사람들에게
아름다운 향기를
내고 싶다